Elmer et Rose

David McKee

Elmer et Rose

kaléidoscope
les lutins de l'école des loisirs
11, rue de Sèvres, Paris 6ᵉ

Pour le Grand David M.

Texte traduit de l'anglais par Élisabeth Duval

ISBN 978-2-211-08701-8
Première édition dans la collection *lutin poche* : mai 2007
© 2007, l'école des loisirs, Paris, pour l'édition dans la collection *lutin poche*
© 2005, kaléidoscope pour l'édition en langue française
© 2005, David McKee
Titre de l'ouvrage original : ELMER AND ROSE (Andersen Press)
Loi numéro 49 956 du 16 juillet 1949 sur les publications
destinées à la jeunesse : septembre 2005
Dépôt légal : mars 2020
Imprimé en France par Clerc à Saint-Amand-Montrond

Elmer a une jeune amie prénommée Rose,
Qui rougit de la tête jusqu'aux pieds,
Mais parfois s'inversent les choses
Et elle rougit des pieds jusqu'à la tête,
Mais de la queue à la trompe,
jamais ça ne lui est arrivé.

Elmer, l'éléphant bariolé, est avec son cousin Walter.
Ils observent le troupeau d'éléphants.
« Joyeuse bande », dit Walter en souriant, « mais ils sont tous pareils. »
« Ils sont tous uniques », dit Elmer. « On les remarque moins que nous,
c'est tout. Imagine un troupeau composé exclusivement d'éléphants
comme toi ou moi ! »

C'est alors qu'arrive Oiseau :

« Papi Eldo veut vous voir tous les deux », dit-il.

« En route, Walter », dit Elmer.

Papi Eldo examine un buisson.

« Où est-elle ? » marmonne-t-il.

Puis il remarque Elmer et Walter et leur dit :

« Elle a dû se cacher en vous apercevant, tous les deux. »

« Elle ? Mais de qui parles-tu ? » demande Elmer.

« De Rose », répond Papi Eldo. « Elle s'est éloignée
d'un troupeau d'éléphants qui passaient non loin.
Vous deux, vous la ramènerez auprès des siens.
Ah, la voilà ! N'aie pas peur, Rose. Je te présente
Elmer et Walter. »
Cachée derrière un arbre, une demoiselle éléphant pointe
le bout de sa trompe ; c'est un éléphant rose.

« Oh ! » s'exclament, surpris, Elmer et Walter.

« Ravissante ! » ajoute vite Elmer.

Rose rosit plus encore.

« Elle rougit très facilement », dit tout bas Papi Eldo.

« Je crois que c'est pour cette raison qu'elle s'appelle Rose. »

Rose murmure « Bonjour » et rougit de nouveau.

« Vous trouverez la piste du troupeau près du lac,
il vous suffira de la suivre. Vous marchez mieux que moi.
Au revoir, Rose. »
Rose dit « Au revoir » d'une douce petite voix,
rosit un peu plus encore, et va rejoindre Elmer et Walter.

Au bord du lac, ils rencontrent un autre éléphant.

Rose le fixe des yeux et court se cacher entre Elmer et Walter.

« Bonjour, Elmer. Bonjour, Walter », dit l'éléphant.

« Bonjour… » poursuit-il d'un ton embarrassé en regardant Rose.

« Rose », lui souffle Elmer, « voici Rose. »

L'éléphant poursuit son chemin, et Rose murmure :

« Il est vraiment bizarre, celui-là ! »

Pour égayer le trajet, ils font la course de temps à autre.

Rose adore ce jeu parce qu'elle gagne toujours,
et alors elle rosit un peu plus encore.

Entre deux courses, Walter fait des farces avec sa voix.
Il donne l'impression de rugir derrière un rocher ou de hurler
à la cime d'un arbre. Rose pousse de petits cris de joie,
rosit tant qu'elle en devient presque rouge, et se cramponne
à la trompe d'Elmer.

Tout à coup, Rose s'écrie : « Écoutez !
Ils sont juste de l'autre côté de la colline.
Je peux y aller seule, maintenant. Vous risqueriez
de les affoler. Ils sont plutôt timides et vous êtes tous
des éléphants tellement inhabituels, surtout le gris
que nous avons croisé tout à l'heure, il est si bizarre !
Merci de m'avoir raccompagnée. »

« Viens nous rendre visite un de ces jours », lui dit Elmer.

« Le gris si bizarre ! Que voulait-elle dire par là ? » demande Walter.

« Je crois qu'elle plaisantait », répond Elmer.

Depuis la colline, ils s'assurent que Rose rejoint
son troupeau sans problème.
« Elle ne plaisantait pas », dit Elmer. « Je comprends
pourquoi elle trouve l'éléphant gris si bizarre. »
Les éléphants du troupeau de Rose sont tous…

ROSES !

Sur le chemin du retour, Elmer et Walter
rencontrent Papi Eldo.
« Tu étais au courant pour les éléphants roses,
n'est-ce pas, Papi Eldo ? » demande Elmer.
« Oui, je voulais que vous les voyiez aussi »,
répond Papi Eldo.
« Rose est très bien », dit Walter. « Je pensais qu'elle était unique,
et elle pensait que l'éléphant gris était unique. »
« Ils sont probablement tous très bien, uniques ou pas », dit Elmer.

« Souviens-toi de ce que tu m'as dit, Elmer.
Imagine tout un troupeau d'éléphants comme toi
ou moi », dit Walter en souriant jusqu'aux oreilles.
« Surtout comme toi, Elmer », poursuit-il
en s'esclaffant. Elmer sourit, mais ne dit rien.
Il est en train d'imaginer tout un troupeau
d'éléphants à son image.